宮川理論

~ホームランを、全ての人に~

宮川 昭正 著
山田 智大 編

CAPエンタテインメント

はじめに

本書を手に取っていただき、ありがとうございます。
これも何かのご縁でしょうから、
この「はじめに」だけでも読んでみてください。

さて、いきなりですが、あなたに１つ質問があります。

あなたは、バッティングのどういったところに
悩んでいますか？

・タイミングの取り方がわからない
・詰まった打球・引っ掛けた打球が多い
・身体が前に突っ込んでしまう
・弾道が上がらない
・試合になると力む
・内野フライばかり
・そもそもどんなスイングが「良いスイング」かわからない

あなたが日頃一生懸命練習する中で、
いろんな悩みが浮かんでくると思います。

はっきりと言います。

これらの悩みは「ホームランを狙うスイング」を
目指すことで解決するのです。

私はこれまで「宮川理論」と命名し、この「ホームランを狙うスイング」を発信し続けてきました。

これまで延べ5000人以上の方にこの「宮川理論」を学んでいただいています。

今でこそ「フライボール革命」という言葉が広く知られるようになり、

「ゴロを打つよりフライを打つ方が安打の確率は高くなる」

という考えが浸透し始めましたが、10年以上前に宮川理論を発信し始めた時には

「上から下へ叩きつけてゴロを打て」

という指導が一般的でした。

私はその当時から一貫して

「ホームランを狙え」
「ゴロは禁止」

と伝えてきました。
当時は誰もそんなことを言っていませんでしたから、
批判や誹謗中傷を多く受けました。

ですが、私には確信がありました。

「バッティングの百点満点はホームラン」
「ホームランの打ち損ねがヒット」

である、と。

ある映像で、世界最高峰のバッターであるイチロー氏が
高校球児に対してこのように指導していました。

「バッティング練習では（左バッターは）右中間へとにかく
遠くに飛ばすこと」
「距離が出るのには理由がある。きちんとしたスイングでな
いと距離は出ない」

そうなのです。

「きちんとしたスイング軌道でないとボールを遠くに飛ばす
ことはできない」

ということは、

「ホームランを狙う練習」つまり「遠くに飛ばす練習」こそが、
「いいスイングをするための練習」になるのです。

なのに、皆なぜか理由をつけて「ホームラン」をあきらめよ

うとします。

勉強であればテストで百点満点を目指すのに、なぜバッティングでは百点満点のホームランを目指さないのでしょうか？

イチロー氏の話をお伝えしましたが、宮川理論では当初、現役時代の王貞治選手とイチロー選手を一番のお手本として考え、発信してきました。

ですが、ほとんどの選手が

「イチロー選手や王選手は自分たちのような普通の選手とは違う」
「体が小さいから真似をしてもしょうがない」

と理由をつけて「ホームラン」をあきらめようとします。

彼らのような真のトップ選手の真似こそが最高の教材であるはずなのに、なぜ真似をしようとしないのでしょうか？

皆さんが野球を始めた時に憧れたのは、ピッチャーであれば「豪速球」、バッターであれば「ホームラン」だったはずです。

もちろん、実際の試合で「全てホームランを狙いなさい」などと極端なことを言うつもりはありません。

しかし、あまりにも「ホームラン」が軽んじられている。

これはアマチュア野球界での

「自分1人だけが目立ってはいけない」

という暗黙の了解の影響もあるように思います。

そして、私はこの暗黙の了解が今の日本の社会・教育にも通じるところがあると憂いています。

また、私は過去の発信でこんなことを書いていました。

「上手な選手は何をやっても上手くいくし、誰が教えても上手いのだ。そんな選手は私が指導しなくても打てるはずだ」

と。

上手な選手はある程度のことは見よう見まねや感覚でできてしまいます。

一流の選手が必ずしも一流の指導者ではない理由はここにあると思います。
打てない選手の「打てない感覚」がそもそも理解できないのです。

かくいう私も選手時代は4番打者として甲子園に出場しました。

自分で言うのもなんですが器用な方だったので、どちらかというと「打てる側」の選手だったと思います。

しかし、指導者になってからは
「赴任した高校に野球部がなく、全くの野球初心者に指導をする経験」
「バドミントン等他種目の尊敬する先生方との意見交換」
をさせていただく中で、バッティングに対する考え方が根本的に変わりました。

打てない選手の「打てない理由」がわかるようになったのです。

この本には、宮川理論が10年以上発信し続けた「ホームランを打つための材料」を詰め込みました。

「俺はあいつより絶対努力しているはずなのに、
なぜあいつよりも下手なんだろう?
なぜ全然上手くならないんだろう?」

そういう選手こそ、ホームランを目指すべきです。

また、私は難しい言葉が嫌いです。

というよりも、
簡単に言えることを難しく言うことが嫌いです。

だから宮川理論のドリルは「L字」「逆手」などとてもシンプルですし、選手はもちろん野球をやったことのない保護者の方にも読んでいただけるように書きました。

今まさに悩んでいる選手、その指導者や保護者の方にこそ読んでいただきたいと思っています。

この本を読んでホームランを打つための自分に足りない材料を集め、自分自身で、あなただけのバッティングをつかんでください。

考え方を変え、練習を変えれば、必ず打撃は変わります。

今の社会や教育、そして暗黙の了解なんて関係ない。

この本を読んで本気でホームランを目指しましょう！

目　次

第6章　質問集

第 1 章

なぜ「ホームランを狙え」と言うようになったか

宮川理論前夜の物語

①ホームランを目指す＝悪だったこれまで

小学生の頃の試合を思い出してください。

打席に立って初球をフルスイングして空振りしたとします。
ベンチからは少し大振りのように見えたとすると、

「もっとコンパクトに振れ！」

という指示が飛ぶはずです。

別のケースで言うと、

前の打席でホームランを打った選手のほとんどは、次の打席
で

「前の打席よりもコンパクトに振ろう、逆方向へ打とう」

という意識を持つはずです。

これは、なぜでしょうか。

状況にもよりますが、

本来であれば３球ともフルスイングして三振をしてもいいし、
次の打席もまた、ホームランを狙ってもいいはずです。

それなのに、

「自分ひとりだけが活躍することは良くないこと」
「みんなでつないで１点を取ることが良いこと」

そんな雰囲気が多くのチームになんとなく充満してしまって
いるのではないでしょうか。

ここでお伝えしたいのは、

「なんでもかんでも自分勝手に
好きなように野球をやりましょう」

ということではありません。

ただ「なんとなく」という理由で受け入れてきた「野球界の
常識」のようなものを一度疑ってみていただきたいのです。

ノーアウトランナー１塁の場面で「送りバント」ではなく、
「ホームランを狙う」という選択肢が頭の中に浮かんでも良
いのです。

まずは

「ホームランをバッティングの選択肢に入れる」
「ホームランを打つための『技術』を身に付ける」

ことが大切なのです。

宮川理論では
「ホームラン」＝究極のチームバッティング
と定義します。

②少しずつ変わる野球界

先ほどはこれまでの野球界で「なんとなく」という理由で受け入れられてきた「暗黙の了解」について述べました。

ですが、
時代とともに野球界も少しずつ変わってきています。

これは、吉田正尚選手のような

「身体がとびぬけて大きくなくても
豪快なスイングでホームランを打つ選手」

の影響が大きいのではないかと思います。

吉田選手は『新時代の野球データ論　フライボール革命のメカニズム』（Baseball Geeks編集部著／カンゼン）のインタビューの中で、

「子供の頃から『良いスイングは本塁打になるスイング』と

考えてやってきた」

と話しています。
これは素晴らしい考え方です。

また、近年メジャーリーグを中心に「フライボール革命」（※）
という言葉が出てきました。

簡単に説明すると

「ゴロよりもフライを打つ方がヒットの確率は高くなる」

というものです。
これは、これまで宮川理論がお伝えしてきた

「ホームランを狙え」
「ゴロは禁止」

がデータによって証明され始めたとも言えます。

最近ではＳＮＳの発達により、指導者や選手がさまざまな情
報を得られるようになったせいか、少し前までの「ゴロを転
がせ」一辺倒の指導は10年以上前と比べるとずいぶん減って
いるように思います。

＊フライボール革命とは？

野球のバッティング理論で、安打の確率を上げるためにゴロではなく球を打ち上げることを推奨するもの。アメリカのメジャーリーグでは2015年から、選手の投球速度や打球飛距離、投球の回転数などを数値化する「スタットキャスト」システムが導入され、打球速度が時速約158キロメートル以上で角度が26〜30度のとき、安打になる確率が８割以上になることが同システムによって判明した。この理論を実践して本塁打を量産したヒューストン・アストロズが2017年のワールドシリーズを制したことや、打者に応じて守備位置を偏らせる「守備シフト」の隆盛でゴロでの安打が生まれにくくなったことでこの理論が広まった。

③流行りの言葉に流されず、本質をとらえる

これまでお伝えしているように、身体がとびぬけて大きくなくても遠くに飛ばすプロ野球選手を「あれは例外だ」と決めつけてしまってはいけません。「どこをお手本にするべきなのか」をきちんと理解する必要があります。

また「フライボール革命」を単なる流行のように考え、内容を正確に理解せずに大振りしたり、フライを打ち上げたりしてもいけません。「フライボール革命」で使われている指標から「どう言う打球を狙っていけばいいのか」を理解して、実践する必要があります。

しかし、

「自分のスイングを理想とする選手のスイングに近づける」
「自分の打球を指標の理想の打球に近づける」

ために、

「具体的にどのような練習をすれば良いのか？」

という話はあまり世の中には出てきません。

周囲の言葉に流されず、

「バッティングという動作を根本的に考え、本質をとらえる」

その上で、

「実戦向けのスイングを作り上げる練習方法を確立する」

この一連の流れがとても大切なのです。

宮川理論には、10年以上かけて作り上げたそのメソッドやドリルがあります。

④なぜ「ホームランを狙え」と言うようになったか

「ゴロを転がせ」の指導が大半を占めていた10年以上前、なぜ私が「宮川理論」と称して

「ホームランを狙え」
「ゴロは禁止」

と言い始めたのか、疑問に思われたのではないでしょうか?

そもそも私がどのようにバッティングというものを考えてきたのか、「宮川理論前夜」とでもいうべき時期について書いてみたいと思います。

突然ですが、実は私は昔からへそ曲がりです(笑)。

中学1年生の時、担任の先生が真横に立ち、

「宮川君、頭のつむじだけはまっすぐだね」

と私の頭をしげしげと眺めておっしゃいました。それだけ普通とは変わった行動をとっていたのです。

そんな調子であったので、周りの空気を考えずに、意見は言うし、人から言われることはまず疑って考えるような性格になり、常に「常識を疑え」という心を持って生きてきました。

なぜそのようになったのかはわかりませんが
「人と違う生き方をしたい」
と少年時代から考えていたように思います。

そんな一風変わった性格ですから、たくさんの失敗をしてき
ましたが

私がその失敗を重ねる中で学んだことは、

「自分が今正しいと思っていることは、100％正しいのではな
く、何％かは間違っている可能性がある」

ということです。

ですので、高校野球の監督時代も生徒たちに厳しく指導をし
て、

「私がすべて」

と独裁者のような顔をして指導をしていましたが、心の片隅
では、

「今生徒たちに言っていることが、実は間違っているかもし
れない」
「生徒が思うようにプレーできないのは、私の力不足かもし
れない」

と、自問自答を繰り返していました。

当時の生徒たちからすると「今さら何を言っとるんじゃ」とブーイングが起こりそうな話です。

ですが、そのように心の中では常に自問自答を繰り返し、自分の考えを微調整しつつ指導をしてきました。

フランスの皇帝ナポレオンは、
「人を動かすのには『利益と恐怖』」
という言葉を残しました。

当時の私はそれを見習って、生徒たちには利益（甲子園、進路）をちらつかせながら、恐怖を持って指導をし、その結果、甲子園に２度出場することができました。

しかし、目標であった、全国優勝はできないままでした。
全国優勝を本気で狙う集団作りが私にはできなかったからです。

そんな状況でひとりの野球人として自問自答を繰り返していると、ふと我に返ってひとつのことに気づきました。

選手時代はなかなか思うようにいかなかったバッティングが、監督として野球に接していくうちに「見える」ようになっていることに気づいたのです。

20

⑤バッティングが「見えた」きっかけ

バッティングが「見える」とは

「なぜ打てないか、どうしたら打てるかがわかる」

ということです。

どうして監督になってからバッティングが「見える」ことに気づいたかというと、選手に交じってフリー打撃や試合形式で打席に立つと、上手く打てていることに気づいたからです。

しかも、これまで打てなかったような長打を打つことができるようになっていました。

「現役時代にこれだけ打てれば、プロだって行けたんじゃないか?」

と思うくらい、それはそれは打てたのです。

監督なので

「長打を打っても『ひとりだけ目立とうとするな』と怒られない」

という心理的な側面もあるのかなと考えていましたが(笑)、

それを言うなら

「生徒が見ている手前、下手なバッティングはできない」

というプレッシャーもあります。

それに、プレッシャー以前に「打った時の感触」が全く違うのです。

「ボールを飛ばすコツがわかった」

と、言いたくなるくらい、自由自在にボールにバットをぶつけられるようになっていました。

次第に、

「監督になっただけでここまで打てるようにならないだろう。選手時代と今で違うことが他に何かあるはずだ」

と考えました。

それは、**ノック**でした。

毎日3時間以上ノックを打ち続けていたおかげで、いつの間にかフックやスライスをかけて狙ったところに打てるようになっていました。120m以上の飛距離は出ていたように思い

ます。

後に述べる

「バットとボールの関係」

をノックによって無意識につかんでいたのです。

また、何百本何千本とノックを打っていると、

「力に頼らず、正確にヒットし飛ばせる身体の使い方」

が「勝手に」身に付いていました。

この「勝手に」というのがポイントで、宮川理論のドリルも**「勝手に」「自然に」**良いクセが身に付くような方法を考えて開発しています。

余談ですが、ノッカーが外野ノックで遠くに飛ばそうとすると「自然に」宮川理論のドリル「逆手」になっている光景を多く見かけます。

このようにバッティングについて掘り下げるようになってきた時、オリックス・ブルーウェーブ（当時）のイチロー選手が大活躍し始めました

私はイチロー選手の常識を打ち破る「振り子打法」を分析することで、より「バッティングが見える」ようになってきました。

イチロー選手を基準にバッティングを考えるようになった時、

「一本足打法と振り子打法は同じである」

ということに気がつきました。

一本足打法の王選手と振り子打法のイチロー選手には

「右足を上げ」→「投手方向へ並進し」→「足の裏全面で着地する」

という共通点があることに私は気づいたのです。

あとは「点と点が結びつく」かのように、次々とバッティングというものが見えてきました。

これが平成６年あたり、約27年前の話です。

しかし、それらがより体系化され選手たちに教えるようになったのは、平成11年に私が広島県立大柿高校へ赴任してからです。

なんせ、3名の部員に新入部員1名の野球部でしたから、それはそれは大変でした。

⑥弱小チームが強豪チームに勝つために絶対にやってはいけないこと

大柿高校はほぼ全くの素人集団だったので、すぐにでも上手くならないと、怪我や命の危険さえありました。

そのため、より効率よく練習をするために技術指導に重きを置くようになり、

「弱いチームが強いチームに勝つためには何をすべきか」

を、これまで以上に考えるようになりました。

弱いチームが強いチームに勝つために攻撃面で1番やってはいけないことは

「**無駄なアウトをあげること**」

です。

バントをして、点を入れようとしても簡単には打たせてはくれません。
また、ゴロを転がしても、強いチームはエラーをしません。

私が

「ゴロ禁止」

と口にするようになったのは、強豪校として知られる如水館高校との夏の地区大会でのことでした。

結果的に２－０で負けるのですが、その２点はツーランホームランによるものでした。

この試合は２－０のまま７回まで進み、やっと大柿高校にチャンスが訪れました。

ノーアウト１、２塁で４番打者に回ってきました。彼はチームで一番長打力がある右の大砲です。

ただ、バントはあまり得意ではなく、ほとんどバントのサインは出したことがありませんでした。

セオリーでは、バントの場面。私はバントしようかどうしようかと迷いましたが、

「ここは次の５番打者にかけよう」

と迷いながらもバントのサインを出しました。

すると、彼は一瞬曇った顔をしました。案の定バント失敗でファール。これはダメだと打たせることに切り替えました。

すると、彼は見事なショート右の痛烈なライナーを放ったのです。

しかし喜びも束の間、如水館高校のショートが横っ飛びで捕球し、一瞬でダブルプレーとなりました。

「あれが抜けていたら」といつも思いますが、「たられば」では勝てません。

「勝ちに不思議の勝ちあり、負けに不思議の負けなし」
という言葉は、故・野村克也氏の教えです。負けるべくして負けたのです。

振り返ってみると、私はいつも、

「ライナーを打て」

と指導をしていました。

もし、これがライナーではなく

「長打を打て」「空に向かって打て」

と教えていたら、きっと違った展開になっていたかもしれません。

それから私は考えました。

「ゴロを打て」とは指導はしていなかったが、どうして彼はライナー性の打球を打ってしまったのか。

もしかすると、単純に小さいときから「ゴロを打て」「ライナーを打て」「フライを上げるな」と教えられてきたからではないかと。

もちろん、これはあくまでもこの場面、この1打席でのことです。

ですが、もしフライを打ってくれていたら、次の打者が打ったかもしれない。

最悪のダブルプレーは、ゴロ、ライナーを打ったからに他ならない。

相手チームはその試合で、1球の失投を見逃さず、ホームランを打ったのです。

⑦バントをする理由

なぜ、ランナー1塁でバントをするのか？

それは、ダブルプレーに一番なりにくい作戦だからです。
決して、得点が入る確率が高いわけではありません。
こうした発想が当時の私にはありませんでした。

この試合の後

「私はなんて間違った野球を子供たちに教えていたんだろう」

とハッとしました。

もちろんゴロを打つことが全て悪いわけではありません。
関わる野手が多い分、ミスなども多くなる可能性が高いのも
確かです。

しかし、「ゴロ一辺倒」では勝てないのです。

あの試合で「ホームラン」が自分の野球の選択肢になかった
ことを自覚し、その重要性を痛感しました。

それが今の宮川理論の源流です。

「なぜホームランを狙ったらいけないの？」

「なぜバントをするの？」
「ゴロはダブルプレーに一番なりやすいよね？」

など、これまでの常識が氷解していったのです。
今まで見えなかったものが一気に見えるようになったわけです。

こうして、へそ曲がりの私は世に「宮川理論」を発信していくことになるのです。

第2章

バッティングにおいて
一番大切なこと

思考編

①バッティングは失敗のスポーツ

さて、ここからはいよいよ実際に選手にお伝えしている
宮川理論の「思考」「考え方」
について、私たちが大切にしていることを書いていきます。

正直言って技術よりもまず、これからお伝えする
「思考」「考え方」の方が大切です。

常識というのは知らず知らずのうちに頭の中にこびりついて
います。頭の中の常識を見直してみましょう。

「バッティングは失敗のスポーツ」

プロ野球選手は「３割打てば一流打者」だと言われています。

これは、一体何を意味しているのでしょうか。

そうです、当たり前ですが**「残りの７割は失敗」**しているの
です。

「７割も失敗するものである」と言われると、バッティング
は改めて難しいものであることがわかります。

自分の試合の光景をちょっと想像してみてください。

例えば、９イニングの試合で打席が４度回ってくるとします。
これまで３回打席に立ち、全て凡退してしまいました。
４打席目に入る前、何を考えていますか？

「ダメだ、３打席凡退している、この打席もダメだったら、
４タコだ。みんなに笑われる」
「今日はすごく調子が悪い、打てる気がしない」
「４打席目、絶対打って前の３打席分取り返そう」

こんな考えが浮かんでくると思います。
これらには共通して「悪いこと」があります。
それはなんでしょうか？
ちょっと考えてみてください。

そうです。全て**「前の３打席」**が思考に入っているのです。

前の打席の結果にしばられず「１打席を１打席」として考え
なければいけません。

これはとても大事なことです。

理由は単純

「その方が打てる確率が上がる」

からです。

「なぜ、試合中にわざわざ、自分が落ち込む方に気持ちを持っていくのか？」

よく考えたら、おかしいですよね？

プロ野球選手が「スランプ」と称して「20打席連続無安打」などと新聞に書かれていたり、テレビ中継で数えたりしていますが、ああいう考えこそがスランプの原因なのです。

もちろん、打席が増えていくごとに、ピッチャーのクセやキャッチャーの性質や配球など、考えやすくなることはあります。

しかし、基本的には１打席１打席を切り離して考えないといけない。

そう考えることで結果的に打率が上がるのです。

②失敗を前提にバッティングを考える

前項で

「バッティングは失敗のスポーツ」

であり、

「３割打てば一流打者」であると述べました。

そうすると、もう少し考えられることがあります。

詳しくは第３章で述べますが

「バットとボールをどこに当てれば良いか」

を考える時も、私たちはこの

「７割は失敗する」

ということを前提にして考えています。

この「７割は失敗する」をヒントに、

「バットとボールはどこに当たるように狙えば良いか」

少し考えてみましょう。

バットには「芯」があります。
基本的に、打つ時はこの芯の部分で打とうと考えます。

ですが、芯にも範囲があります。

グリップ寄りの芯「根っこの芯」で打とうとして「失敗」す

ると、

「芯を外れて詰まった打球になる」
「バットの先（ヘッド）側の芯に当たる」

という結果になります。

逆に、ヘッド側の芯「先の芯」で打とうとして「失敗」する
と、

「グリップ側の芯『根っこの芯』に当たる」
「芯よりもバットの先に当たる」

という結果になります。

（実際はここまで単純ではありませんが、理解しやすいよう
に単純に例えています。）

宮川理論では基本的に「詰まらない」ことを重視しているの
で、失敗した場合を考えて

「ヘッド側の芯『先の芯』」

に当たるように打つことを推奨しています。

③逆も真なり

「力を抜け」とよく言いますが、全身の力を抜いていたらバットすら持てません。

つまり**「力を抜け」**とは、**「必要な場所には力を入れよ」**ということなのです。

ですから、力が入ってガチガチの選手には「力を抜け」というのではなく、

「（右打者なら）左手だけ力を入れよう」

と伝えます。
そちらの方が、わかりやすい気がしませんか？

選手に伝える時の言葉はとても大事です。

「今使っている言葉が正しく選手に伝わっているか」

指導者であれば一度振り返ってみましょう。

さて、失敗についてもう少し考えてみましょう。

「ゴロを転がせ」

というのは、日本の野球界のセオリーです。
ヒットになることもあるし、ランナーを進めることもできます。

また、相手がミスをしてくれるかもしれません。ゴロを転がせば、「捕る→投げる→捕る」と動作が増えるので、フライよりもミスをする確率が高くなります。

そして、ゴロを転がすために指導者が伝えるのが「上から叩け」です。

多くの選手は、何の疑いもなくこの「上から叩け」を受け入れています。

この「上から叩け」ですが、本当に上から叩けば、ゴロになるのでしょうか。

先ほども述べたように、野球の世界では「３割打てば一流打者」です。
しかし、「７割は失敗をする」つまり、失敗の方が多いのです。

失敗が多いということは「打ち損ねている」ということです。
つまり「７割の確率で自分が思ったように打てていない」ということです。

先ほどの「上から叩け」でゴロを打ちにいっても「７割は失

敗をする」と考えると、
その失敗の7割の内、三振を除きバットに当たった場合どんな打球になるのでしょうか。

そうです。「フライ」になるのです。

狙っている打球	成功（3割）	失敗（7割）
ゴロを狙った場合	ゴロ	フライ
フライを狙った場合	フライ	ゴロ

表1　狙っている打球の結果
※ライナーはヒットになることが多いので、ここでは成功（3割）として考える。
※三振（空振り・見逃し）は、失敗（7割）として考える。

宮川理論で「ゴロ禁止」としているのは、単純に

「内野の頭を越せ」「遠くに飛ばせ」

という意味ももちろんありますが、

「フライを狙って7割失敗してもゴロになるじゃないか」

という側面もあるのです。

つまり、「フライを打て」と指示を出す方がゴロを打つ確率が上がるのです。

ちなみに、フライを狙ってゴロを打つと、その多くはバウンドするごとに打球が速くなる回転（トップスピン）がかかります。

このようなゴロは野手も取りにくいので、相手がミスする確率も高くなるはずです。

④天狗の鼻も、まず高くしないと折れない

さて、「思考」についてもう少し深く考えていきましょう。

特に小学生、中学生の年代の選手の指導をすると非常に「いい子」が多いです。
「自分をわきまえる」と言いますか、「謙虚すぎる」と言いますか。

いい打球を打って「すごいじゃん」と言っても「僕なんてまだまだ」みたいなことを言います。言わなくても、そんな顔をします。あなたも心当たりがありませんか？

ですが、本当にそれでいいのでしょうか？

ホームランを打った後に「僕なんてまだまだ」と「右方向へ打つ意識を思い出す」なんて言うのは、誰のためですか？

もう一回、ホームランを打ったらいいじゃないですか。

子供たち、選手たちをまず自信満々にしてあげましょう。

何か物事に取り組むとき、自信があるかないか、どちらの方が成功する確率が高いかどうかは、大人がよくわかっているはずです。

調子に乗らせましょう。
「自分って、最強」 と思わせましょう。
宮川理論の指導ではどんどん調子に乗らせます。

もちろん、「お世辞を言って、全然打てていないのに何でもかんでも褒める」ということではありません。そんなことは選手もすぐに見抜きます。

ただその「できない」を「できる」、「飛ばせない」を「飛ばせる」にすることが私たち指導者の役目です。「飛ばせる」ようになってもらう過程では「できる」ことに目を向けてどんどん褒めていきましょう。

そして上達し、技術が他の選手より抜きん出て、いい具合に調子に乗ってきたところで

「天狗の鼻を折る体験」

例えば

「今の実力では全く歯が立たない選手との対戦」

などをさせてあげましょう。

そこで悔しい思いをし、努力をして上手くなる。

また、挫折を経験し、悔しくて努力をする。

ポイントは
「口で言わずに、体験として経験させる」 ことです。

こういう過程で、上手くなっていくのです。

指導をしていると

「自分が上手くなりたいと思っているのか」
「保護者に連れられて、なんとなくイヤイヤやっているのか」

が、すぐにわかります。

もちろん「情報収集」という意味では大人の方が優れていますから、「何を学ぶか」の基準は保護者や指導者が選ぶべきだとは思います。

ですが、それ以外は根本的に

「どうしたら野球が好きになるか」

を考えて選手に接することが一番大切です。

野球人口減少が叫ばれていますが、大人ができるのは環境を整えるまでです。
子供たちに親や指導者の夢を押し付けてはいけません。

決めるのは、子供たち、選手です。私たちはそのサポートしかできません。

もちろん、「礼儀」や、「人として大切なこと」は大前提として指導するべきです。
そして、野球というのはそのようなことを教えるのに非常に適したスポーツだと思います。

話をもとに戻しましょう。

そうです、まずは天狗の鼻を伸ばすように。
子供たちには「素敵な勘違い」をさせてあげましょう。
鼻を折るのは、伸ばしてからでいいのです。

⑤指導をする上で絶対に選手に与えなければならない もの

指導者が指導をする中で、絶対に選手に与えなければいけない、選手の中に芽生えさせなければいけないものはなんでしょうか。

これは先ほどの「自信」にも近いですが、宮川理論では、

「自分にもやればできる」

という感情だと考えています。

指導をする時には

「どうすれば『やればできる』と思ってもらえるか」
「『自分にも打てる』と感じてもらえるか」

を大事にしています。

最近のＳＮＳなどを見ていると

「プロの選手のスイングは、ここがこうなっている」
「だから身体のこの部分をこのように動かしましょう」

という投稿をよく見かけます。

44

それで実際にその動きができましたか？

もしできるならあなたはすぐにプロ野球選手になれます。

もちろん「参考にする」「いい選手を分析する」のは大事です。

ですが、真っ先にしなければいけないのは何でしょうか？

それは、「**自分のスイングの分析**」です。

これまでたくさんの選手を見てきましたが、「自分のスイングの分析」こそが多くの選手にとって必要な作業だと思います。

ひとりひとりのスイングは違うのですから、自分のスイングを分析せずにあれこれ試してみても上手くいきません。

結果としてバッティングが嫌いになり
「自分にもできる」
ではなく
「自分にはできない」
になってしまう選手がとても多いように見えます。

自分の分析をしてみて「悪くない！」と思えばそれでいいのです。
あなたが今、打てているのならそのままでいきましょう。

そして、もし打てなくなったら、もう一度この本を開いてください。

さて、自分のスイングの分析をする時は

「どこが理想のスイングの邪魔をしているだろう？」

と考えます。
その後で初めて「どんな練習をするか」が決まるのです。

お医者さんに行っていきなり薬を出されたらびっくりしますよね？
あなたはまず症状を伝えて「病名を教えてください」というはずです。

まずは診断（分析）、そして治療（練習）。
自分のスイング、状態を分析することを忘れないでください。

⑥「教えすぎないこと」の重要性

次に、指導者の方に向けて私たちが指導をする際にとても大切にしていることをお伝えしたいと思います。

「ホームランの話はどこに行った？」

と思われるかもしれませんが、一番大切なのは

「これまでの常識を疑い『思考』から変えていくこと」

です。もう少しお付き合いください。
もちろんこれも「ホームランを打つための思考」としてもとても重要な部分です。

私たちが指導の際に大切にしていること、それは

「教えすぎないこと」

です。特に小さい年代の選手には基本的に細かいことは言いません。

もちろん、この後、お伝えする「L字」「逆手」はほぼ万人に必要なドリルです。小さい年代の選手にも伝授します。

その後は選手によって必要なドリルを行うのですが、それ以上に伝えるのは

「どんどん遠くに飛ばそう」

くらいです。

先ほどもお伝えしたように、指導者が選手に指導をする上で

「『自分にもできる』と体感させること」

「野球が好きになること」

これらがとても大事です。

この２つを技術的、精神的にサポートするのが指導者の一番
大切な役割です。

礼儀や、取り組む姿勢など大事なのはいうまでもありません。

ですが、「そもそも嫌いなもの」に対してどうして情熱を傾
けることができるでしょうか？きちんと取り組もうと思い続
けられるでしょうか？

人間としての指導と技術的な指導は分けて考える必要があり
ます。

「打てないのは、日頃の生活態度が悪いからだ」

その可能性もあるかもしれません。ですが、本当にそれだけ
でしょうか？

「打てないのは、打つ技術がないからだ」

単純ですが、この考え方を常に持って指導に当たりたいもの
です。

長々と書きましたが、この思考編で一番お伝えしたいことは

「まず『ホームランを打てる』と自分自身が信じなさい」
「選手にはそう思ってもらえるように指導しなさい」

ということです。

周りの選手や指導者は、あなたの自信を失わせるようなことを言うかもしれません。ですが、それに惑わされることなく

「自分にもできる」「ホームランが打てる」

と信じましょう。

次の章からは「技術編」として、その具体的な方法をお伝えしていきます。

私が宮川理論をオススメする理由①

「宮川理論」は、医学と野球の両方の世界に長くいる私にとって、初めて出会った打撃の「診断法と治療法」です。医療では、症状の原因を診断するために、診察、検査を行って何が悪いのか「診断」し、診断に応じて最適な「治療」を選びます。この診断法や治療法は様々な研究で「良い」ことが証明され、多くの医療者がそれを学んで使うことができます。この「診断と治療」という考え方は、野球の指導でも同じように使えるはずだと考えていました。しかし、なかなか良い野球の「診断法と治療法」に出会うことができずにいました。そんな中、2015年8月初めて宮川先生とお会いし、直接自分自身の打撃の課題であった「インコースが詰まる」という症状の診断と治療を受けました。この診断と治療を受けることで、それまで詰まっていたインコースを打てるようになったのです。すると、この「診断と治療」で他の選手に介入することで、私も同じように選手のインコース詰まりを治療できるようになったのです。このように、宮川理論は医療と同じように「診断法と治療法」を学ぶことで、多くの方々が宮川先生と同じように、選手の打撃パフォーマンスを向上させることができる方法です。多くのみなさんがこの宮川理論を学び、私の感じた「目から鱗が落ちる」ことを感じていただきたいと思います。

ベースボール＆スポーツクリニック
野球医学センター長　馬見塚　尚孝

第3章

バッティングにおいて
一番大切なこと
技術編

①大前提となるストライクゾーン
　（ヒッティングゾーン）の認識

それでは、いよいよ技術編に入っていきたいと思います。

宮川理論の指導を受けにこられた方にまず初めにお伝えしているのは、

「ストライクゾーン」

の認識です。

公認野球規則に、ストライクゾーンの定義は

「打者の肩の上部とユニフォームのズボンの上部との中間点に引いた水平のラインを上限とし、膝頭の下部のラインを下限とする本塁上の空間をいう。このストライクゾーンは打者が投球を打つための姿勢で決定されるべきである。」

とあります。

文字だけで見ると難しいので、図も交えながらより簡単に、感覚的に、実践的に考えてみましょう。

ちなみにこの後、ストライクゾーンとほぼ同じ意味で

「ヒッティングゾーン」

と言う言葉が出てきます。

この本では、

「ヒッティングゾーン」
＝「自分が打とうと意識しているゾーン」

と、考えてください。

例えば、
「高めのヒッティングゾーンはどこですか？」
＝「高めはどこで打つイメージですか？」

と聞いて「バットで表してください」と言うと

ほぼ全員が「前足（右バッターの左足）寄りの高め」にバットを持っていきます。

図1　一般的なストライクゾーン（ヒッティングゾーン）の認識（高め）

一見何も問題ないように見えますが、ここにひとつ問題があります。

もう一度ストライクゾーンの定義を考えてみましょう。

上限は「肩の上部と、ユニフォームのズボンの上部との中間点に引いた水平のライン」

下限は「膝頭の下部のラインを下限」

とされていますが、実はここには「前足」という言葉は書かれていないのです。

つまり「ストライクゾーン」「ヒッティングゾーン」はもっと立体的に考えなくてはいけません。

つまり「ヒッティングゾーン」の意識は「もっとボールを呼び込める後ろ側」にある必要があるのです。

図2　ボールを呼び込んで確率を上げるためのストライクゾーン
　　　（ヒッティングゾーン）の認識

宮川理論のスイングは

「ボールが後ろ足（右バッターの右足）を通過する時にバットの芯がどこにあるべきか」

を、考えています。

もっと具体的にいうと（右バッターの場合）

「後ろ足の前を通過するときにバットの芯にボールが当たるようなスイング」
「できるだけボールの軌道に対してバットの芯が長く通るスイング」

を教えています。

ここがとても重要なポイントです。

どこかで宮川理論のスイングをご覧になった方は

「なぜこんなスイングの形になるのか」

と思われたでしょうが、これで理由がお分かりになったかと思います。

「後ろ足の前」「お腹の前」「前足の前」

どこで当たっても芯に当たるスイングです。

こうすれば芯で打てるゾーンが広がるので確率、つまり打率
は間違いなく上がります。

　　　後ろ足の前　　　　　　お腹の前　　　　　　　前足の前
　図3　ヒッティングゾーンのどこで当たっても芯に当たるスイング

　　多くの方が持っている意識　　宮川理論でお伝えしている意識
　　（芯で打てる幅が少ない）　　（芯で打てる幅が広い）
　　　　図4　高めのヒッティングゾーンの意識の比較

②チェックするべきは
「トップからインパクトまでの」スイング軌道

前項で説明した

「後ろ足の前を通過するときにバットの芯にボールが当たる
ようなスイング」
「できるだけボールの軌道に対して『バットの芯』が長く通
るスイング」

このスイングをもう少し深く考えていきましょう。

似たような言い方で

「ボールに対して水平に、フラットにバットを出す」

というものがあります。

しかし、例えば次の図5のように「水平に、フラットに」バッ
トを出したとしても、バットの根っこに当たってしまえば詰
まって凡打になります。ただ、水平であればいいということ
ではないのがわかると思います。

図5　水平でもインコースに来れば詰まってしまうスイング軌道

そもそもスイングを考える上では「どのコースのボールを打つのか」を前提にして考えなくてはいけません。

なぜなら、インコースとアウトコースでは

「持つべき意識」
「インパクトするポイント」

が違うからです。そして、宮川理論では「ホームランを打つこと」を大前提にしていますので、まずはインコースの甘いボール（ホームランにしやすいコース）を想定します。

一番大切なのは、トップからボールに当たるまでの軌道です。

「できるだけボールの軌道に対して『バットの芯』が長く通るスイング」

をする必要があります。

さて、バットの動きについてもう少し詳しく見てみましょう。

足を上げてスイングを開始する
この時、バットのヘッド部分が投手に見えてはいけません。

図6　打ち出す時に先に投手方向にバットのヘッドが見えるのは
　　　いけない

「バットを振る」

のではなく

「足を下ろすと同時にバットのグリップを投手方向に向けて前に出す」

のです。

グリップを前に出すことで、下ろした足の着地と同時に身体が回転します。

そうすると
「グリップを前に出す」と「回転」が相まって「真ん中〜インコース高め」に対しては次ページの図7のようなスイング軌道になります。

横から

前から

図7　できるだけボールの軌道に対

難しいですか？

下半身の回転と同時にグリップを前に出すというところに注目してください。

そうするとグリップは、

「前に出てから、自分の左肩の前に引いてくる」

ような動きになります。

して「バットの芯」が長く通るスイング

（右バッター／真ん中〜インコースの場合）

難しければ図7のグリップの位置に注目して、それを真似し
ようとしてみてください。

おそらく、ボールに詰まりやすい選手のほとんどが、右バッ
ターの場合、ボールをとらえている時に投手方向から見ると、
左肩よりも右肩の前の方にグリップがきているはずです。

③バットとボールの関係

次に「バットとボールの関係」について考えてみましょう。

「バットとボールの関係」とは「バットのどことボールのどこが当たるのか」ということです。

言われてみれば当たり前のことなのですが、これはとても重要です。ですが、その関係について深く考えていない選手がとても多いのです。

この「バットとボールの関係」がわかると、劇的に打球感が変わります。

	ボールの上	ボールの真ん中	ボールの下
バットの上	（衝突しない）	（衝突しない）	基本的にフライになる
バットの真ん中	（衝突しない）	バットの角度で打球が決まる	（衝突しない）
バットの下	基本的にゴロになる	（衝突しない）	（衝突しない）

表2　バットの上・真ん中・下部とボールの上・真ん中・下部が衝突した結果

とにかく最初は難しく考えずに、

・バットの下部で打ってみる
・バットの上部で打ってみる
・バットの芯の真ん中で打ってみる
・バットの芯の先の方で打ってみる

と、自分がバットのどこで打っているのかがわかるようにイメージ・工夫して打ってみてください。

ティーはもちろんですが、フリーバッティングでやるとさらなる気付きがあると思います。それだけバッターは、普段あまり「バットとボールの関係」を考えずに打っているのです。

バットの上とボールの下が衝突→ 打球は基本的にはフライになる

バットの真ん中とボールの真ん中が衝突→ 打球はバットの角度によって決まる

バットの下とボールの上が衝突→ 打球は基本的にはゴロになる
図8　バットとボールの関係

④裏芯とは

前項で「バットの芯」のことを書きましたが、宮川理論ではバットの先（ヘッド）側の先である「先の芯」、そして「裏芯」で打つことを推奨しています。

これは第2章でも書きましたが

「失敗して詰まった時にも芯に当たる確率を高くするため」

です。さらに先の芯の方が打球は飛びます。

「泳いでも長打になる」時に当たる芯です。

裏芯とは

真っ直ぐ顔の正面にバットを持ってきた時に、自分の顔からみて裏側（向こう側）にある芯のことです。

「足を下ろすと同時にバットのグリップを投手方向に向けて前に出す」

ことで、自然にこの裏芯がある面でボールをとらえることができます。

この裏芯で打てている選手は日本ではプロ野球選手でもけっ

こう少ないです。

バレンティン選手、坂本勇人選手は裏芯を使うのがとても上手いですね。

芯は芯でも裏芯に当たると、当たった時の感触と打球が全然違います。

芯にもいろいろありますから、この裏芯で打てるように練習してみましょう。

最初は「この辺かな？」くらいで大丈夫です。

裏芯に当たるといつもとは違い

「スコーンと抜けたような感覚」

で打つことができます。

この辺りはまず実際に体感してみてください。

大切なのは、「自分が打った打球の感触と、その打球」をしっかり分析すること。

宮川理論では**「打球が先生」**と教えています。

打球を見れば、ボールとバットの関係がわかります。

「自分が今どこの芯で打ったのか、打とうとしているのか」

を常に意識しましょう。

指導者の方も、この部分を選手に考えさせましょう。

裏芯の位置（顔の反対側）

「グリップを投手方向に向けて前に出す」ことで裏芯がある面でボールをとらえる

図9　裏芯

私が宮川理論をオススメする理由②

夏、新チームの練習試合で、外野オーバーの２ベースを放ち、自分で打ったにも関わらず、驚いた顔をしてベースを回っていく選手がいた。４月から野球を始めた初心者である。私が顧問をする野球部には毎年初心者や少年野球で下位打線を任されていた子が多く入部してくる。そうした選手は入部した時点でホームランを、長打を、場合によってはヒットさえも諦めてしまっている。聞くと、少年野球では「バントで貢献しろ」とか、「力が無いんだから転がせ」などと指導されてきたらしい。そんな選手や初心者の子たちに夢を語るところから活動が始まる。「身体は大きくなるし、力もついてくる、宮川理論を学んでホームランを打てるようになろう！」はじめは目を丸くし、「本当に？」という表情をするが、宮川理論を学んでいくうちに練習でも遠くに飛ぶようになってくる。打席に入るのが怖かった子たちが打ちたくてたまらなくなってくる。

宮川理論の理念である「全ての選手にホームランを」。これは多くの野球少年を笑顔にする。宮川理論で、野球少年の笑顔を増やし、野球をもっともっと楽しいスポーツにしていきたい。

宮川理論公認指導員　中学校野球部顧問　田口 出

第4章

宮 川 理 論

基本練習

①見た目以上に難しい「L字逆手」

第４章ではここまでの内容を踏まえて実際の練習方法を書いていきます。

練習方法といってもたくさんはありません。

宮川理論の合言葉は「誰でもできる」ですから。

その代わり「なんだこんな簡単なこと」とバカにせずに、しっかりと継続してください。

目安は３カ月です。

大事なのは「**情報を知っていること**」ではありません。

それが「**試合でできること**」です。

試合中に打席の中で「ああしよう、こうしよう」と技術的なことを考えるヒマはありません。

試合では何も考えずに理想の動きができなければいけません。

自動操縦です。

なぜ、こういうことをわざわざ書くかというと

今からお伝えする「L字」と「逆手」がきちんとできる選手
が、本当に少ないからです。

「なんとなく、できた」

ではなく、無意識にできるようになるまで、しっかり練習し
ていきましょう。

これだけで「飛距離アップ」「打率アップ」間違いなしの練
習であることは、これまで学んでくださった多くの選手が実
証済みです。

そもそも、この2つは何のための練習かと言いますと

「L字」…理想的な回転を身に付けるための練習

日本の野球界でよく使われる「前足の『壁』という言葉は1
度忘れましょう。
それくらい「壁」のせいで飛距離をロスしている選手が多い
のです。

大事なのは「壁」をとっぱらってしっかりと「回転」するこ
とです。
L字をすることで、その「回転」を自然に身に付けられます。

「逆手」…手首を自然にコネないようにするための練習

日本の野球界では手首を早く返しすぎる、つまり「コネ」ることでフォロースルーが小さくなってしまう選手が非常に多いです。

逆手をすることで自然に手首が返らなくなり、大きなフォロースルーが取れるようになります。

これらの練習は基本的に「ノックバット」「ほうき」など、必ず「**バットよりも軽くて長いもの**」で行いましょう。

これはとても重要なポイントです。良い動作を身に付けようとしているのに、ほとんどの選手が重たいもので練習をしすぎています。

まずは、良い動作を身に付けるために「軽い」ものを使うこと。
そして、「長い」ものはきちんと扱わないと良い動作にならないため「できている」「できていない」がはっきりわかるのです。

②L字の説明・ポイント

打席に立った時をイメージしてください。

まず、投手方向に対して左足のつま先を向けます。
次に、右足は左足と合わせて「Ｌ」の形になるよう立ちます。
（左打者は「逆Ｌ」の形です）

これが基本スタンスです。

ここから大まかな流れと細かい注意点をお伝えします。

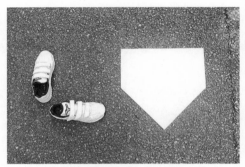

図10　右打者の「Ｌ字スタンス」

・左足のかかとを地面から浮かして、右足に全体重を乗せる
実際の打席で言うと、足を上げたタイミングです。
この時に、多少身体がキャッチャー方向にひねられるのは仕
方ありませんが、無理にひねろうとしないでください。

・身体を回転させる
身体を回転させて、浮かせていた左足のかかとを地面につけ
ます。

回転し終わった後、右足はつま先立ちになるようにしましょう。

この時、第3章②でも説明したように「グリップからバットを出す」意識を持ってみてください。

難しい時はバットの芯の辺りを肩に乗せた状態から始めましょう。

・注意点・動画
注意点を書いていきますので、動画を見ながら確認してください。注意点は右打者向けに書いています。
・グリップは左手（小指、薬指、中指）をしっかり握り、右手はできるだけ力を抜きましょう。
・振るコースは真ん中〜インコース高めを意識しましょう。
・振り終わった後、右足は爪先立ちになるようにしましょう。
・振り終わった後、バットの先が投手方向を向くぐらい回転しましょう。
　（無理はしないでください）
・左足かかとを上げた時、左足をひねりすぎないようにしましょう。
・「前の肩が開かない」ように意識すると怪我をする心配があります。下半身の回転に合わせて前の肩も開いていきましょう。

L字動画
https://youtu.be/gapMVAL28Fo

③逆手の説明・ポイント

逆手は、先ほどのL字にプラスして行うものです。

L字で回転していきながら、左手の甲を、ずっと上に向けておきます。

それができなくなるところまでスイングしたら、そのままお尻のあたりに手の甲をつけるように下げていきます。

これを繰り返すことによって、自然と手首を返しにくいスイングになります。

・**注意点・動画**
注意点を書いていきますので、動画を見ながら確認してください。注意点は右打者向けに書いています。
・最初はわかりやすいようにゆっくりと行いましょう。
・グリップは左手（小指、薬指、中指）をしっかり握り、
　右手はできるだけ力を抜きましょう。
・振るコースは真ん中～インコース高めを意識しましょう。
・振り終わった後、右足は爪先立ちになるようにしましょう。
・左足をひねりすぎないようにしましょう。

・「前の肩が開かない」ように意識すると怪我をする心配があります。下半身の回転に合わせて前の肩も開いていきましょう。

逆手動画
https://youtu.be/5FmDPNarDil

④Ｌ字逆手の練習で一番大切なこと

動画を見ていただければお分かりになると思いますが
基本的にこの「Ｌ字逆手」の練習は脱力して行います。

そして、「**振る時と戻す時の軌道が同じ**」になるようにしましょう。

スイングにはこの「**軌道**」がとても重要です。

振るだけでなく、それを戻す際も同じ軌道を描くことで身体が理想的な軌道を覚えやすくなります。

練習の際は、そこに細心の注意を払いましょう。

20回を１セットとして、全くスイング軌道がブレない力加減で行ってみてください。

⑤「力みは最大の敵」まず練習するべきコース

いかがでしたでしょうか。

「L字逆手」…「理想的な回転を身に付けコネをなくす」
つまり「より楽に遠くに飛ばす」ための練習と言えます。

「回転する」ということは「しっかりと身体を使う」ということです。

手だけで打つか、身体全体を使うか、どちらがより楽に遠くに飛ばせるか、は感覚的にお分かりになるでしょう。

「力みは最大の敵」ですから、できる限り楽に遠くに飛ばしましょう。

「楽にできる」ということは「理にかなっている」ということです。

しかし、練習は一生懸命やらなくてはいけません。

ですから「一生懸命、楽に遠くに飛ばす練習」をすればいいのです。

皆さん「きつい練習をすれば、必ず上手くなる」と思っていませんか？

例えば「連続ティー」なども「きつい練習」の代表例として
あげられます。

ですが方法を間違えると「手首を早く返す」＝「手首をコネ
やすくなる」というデメリットがあります。

また「きつい」という言葉には「身体への負荷が高い」とい
う意味が含まれている可能性もあります。

「連続ティー」はやり方によっては「回転が不足した状態で
打ち続ける」ことで腰に大きな負担がかかる危険もあります。

「きつい」という理由だけで必ず上手くなるだけではないの
で、しっかりと目的を理解した上で練習を行いましょう。

繰り返しますが

「Ｌ字」…理想的な回転を身に付けるための練習
「逆手」…手首を自然にコネないようにするための練習
「Ｌ字逆手」…「理想的な回転を身に付けコネをなくす」
つまり「より楽に遠くに飛ばす」ための練習

です。

「Ｌ字逆手」により、多くの選手が抱える「回転不足」「手首
のコネ」が改善されます。

特に「回転不足」はそのまま「腰の怪我」にも繋がりやすいので、改善する必要があります。

練習は基本的にホームランの出やすい

「真ん中高め」
「インコースの甘いコース」

を中心に練習してください。

まずは、このコースを正確に振りぬけるように練習しましょう。
もちろん、たまには低めも練習してかまいません。
その時はゴルフのようなスイングになるはずです。

そして、これらの練習はとにかく力を抜いて行うこと。
人によりますが「30〜70％ぐらいの力加減」で行いましょう。

指導する選手には「1000回振っても汗をかかないように」と伝えています。

多くの選手は素振りをすると、どうしても力を入れて振っています。

そして、試合では練習よりも絶対に力みます。

なのに、練習ですでに力んでいたら試合ではどうなるでしょうか?

「力を入れる」と「力む」は違います。
「どのくらい力を入れると良い結果につながりやすいのか」
を練習で探していきましょう。

「はじめに」で

「バッティング練習ではとにかく遠くに飛ばせ」

と書きましたが、

「遠くに飛ばす練習」

と、このような

「動作、力加減などの確認のための練習」

を組み合わせましょう。

⑥練習と試合を結びつけすぎない

固定概念というのでしょうか。

これまで「練習も試合だと思って行いましょう」と言われた

ことはありませんか？

ボールが下側から投げられるティーを打つにしても、投手の
いない素振りをするにしても、言われたことがあるのではな
いかと思います。

しかし、このような練習で試合をイメージしてばかりいるこ
とは好ましくありません。

もちろん、途中で何回かイメージして練習するのはよいので
すが、「すべて練習は試合だと思って」という指導が多いよ
うに思います。

宮川理論では「練習は練習と割り切れ」と指導しています。

「L字」の練習に試合をイメージする必要はありませんし、
「逆手」の練習に投手をイメージする必要はないのです。

「L字」は理想的な回転を身に付けるための練習、
「逆手」は手首を自然にコネないようにするための練習、
と割り切りましょう。

また、フリーバッティングなどは「つま先立ち」「ヘッドの
角度」「軌道」などをもっと意識して練習するべきです。

フリーバッティングでいくら打ってもしょうがない。試合で

打つためにするのが練習なのです。

桑田真澄氏が

「声を出すな、キャッチボールの時に声はいらない」

と言っていました。これは、

「キャッチボールはコントロールに集中して投げる必要がある。だが、針の穴に糸を通すときに声を出して通そうとする人がいるだろうか？」

そういうことだと思います。

キャッチボールという練習にとっては「声を出して投げる」という行為は本来無駄なのです。

チームの練習で黙ってキャッチボールをするのも違和感がありますから、なんとなく声を出して行ってきたのだと思います。

ですが、もっと

「この練習にとって必要なものは何か」

ということを突き詰めて練習をしてください。

例えば、素振り・ティー・キャッチボールも、ウェイトトレーニングと同じようなものだと考えてほしいのです。

ベンチプレスをする時に試合をイメージするでしょうか？
たぶんしないでしょう。

鍛える箇所を意識して練習するべきです。

練習は試合のためにありますが、必ずしも全てにおいて試合を意識する必要はない。

覚えておきましょう。

私が宮川理論をオススメする理由③

僕は甲子園やプロはおろかレギュラー獲りも難しい野球劣等生で、いつしか「上達方法の研究」を生き甲斐にした野球理論マニア（笑）になっていました。

そんなマニア生活を約20年続けた頃、理論の詰め込みすぎで「こんなに研究しても思うように打てない…こんな生活はもう辞めよう」と諦めかけていました。

そんなとき、他の理論では見たことのない質の打球を宮川先生がかっ飛ばす動画を観て衝撃を受け、僕は「この理論が最後」と思い宮川理論の門を叩いたのです。

直後にこれまで打ったことのない打球を放つことができ、気が付けば指導員になるまでのめり込み（笑）、これまで多くのラボ生にかっ飛ばしてもらうことができました（笑）。

6年間どハマりしているマニアにとって、宮川理論の魅力は「バッティングの本質を抑えたシンプルで取り組みやすいドリル」「他の理論には無い『練習は練習』『ホームランの打ち損ないがヒット』等の大胆な思考」「選手の健康と成長を第一に考える仲間との出会い」です。

「誰でも打てる」「誰でも（もと野球劣等生でも）教えられる」はダテじゃない！バッティングに悩んでいる方はどっぷり浸かってみると、野球人生が変わりますよ！

横浜港南支部　ホームランラボ　ラボ長　篁 俊市郎

第5章

宮川理論

実践編

①「甘球必打」について、打席での心構え

ここからは、「宮川理論　実践編」ということで、実際の試合での考え方、心構えを書いていきます。

打席に入る所からひとつひとつ順番に見ていきましょう。

ただし、これらを意識するのは練習の時だけです。試合では、細かいことを考えることはできません。

・打席に入る

打席の一番後ろに立ちましょう。できるだけボールを長く見ることができます。良いバッターは後ろに立っています。
バントをする時などは例外で前に立ってもいいでしょう。

・構える・ボールを待つ

宮川理論では打席に入る時、

「『インコースの甘い球』または『インコースの高め』を狙いなさい」

と教えています。

「打てるボールを確実に打つ」

ということが大事だからです。

こんなとてもシンプルなことなのですが、なかなか実行でき
ません。
実際にはどうしても迷ってしまうからです。

「アウトコースに来たらどうしよう」
「高めの釣り球に手を出してしまったらどうしよう」
「変化球が来たらどうしよう」

こんなことを考えるのはやめましょう。
何度もお伝えしていますが「３割打てば一流打者」なのです。

だったら、ホームランを狙って好きなボールを待ちましょう。

打席の中では迷うことが一番いけません。

ですが「迷うな」と言っても迷ってしまうのが人間です。

「甘い球、自分が一番好きな球を待つ」

ことで迷いが少なくなります。
打席の中での基本の心構えはこれでいきましょう。

ただし、「確実に外に狙ってくる」など、相手が投げ込んでく
るコースがわかっている場合はそのコースを狙ってもいいで
しょう。

・好きな球を待って、その他は捨てる

配球などを読んでいくことも大切ですが、
基本としてはこれだけでいいと思います。

何人かのキャッチャーに聞いたことがあります。

「ほとんどのピッチャーが『構えたところに投げることができる』のは10球中何球ぐらい？」
「２球か３球です」

ピッチャーが試合で狙い通りのコースに投げようとしても失敗は多いのです。

このような理由で、宮川理論は「インコースの甘い球」「インコース高め」を待ち、ホームランを狙うのです。

②アウトコースはどう対応するか

「好きな球を待って、その他は捨てる」

と伝えると

「アウトコースにボールが来たらどうしたらいいですか？」

と質問されます。

ピッチャーも「打たれまい」と思ってアウトコースに投げて
くることが多いですから。

そういう時には

「右足の前にバットを出すぐらいの気持ちでいいよ」

と伝えます。

ホームラン特集の映像を見てもわかるように、

「ピッチャーの投げるボールが甘く入った時」

にホームランになることが多いです。

アウトコースはよくばらず

「ヒットになればいいや」

くらいの気持ちで良いのです。

では、インコースとアウトコースの対応について考えてみま
しょう。

インコースとアウトコースだと、
どちらが先に身体が反応しなければいけないでしょうか？

どちらのコースの準備をしなければいけないでしょうか？

宮川理論では「インコース」の準備をしておくように伝えています。

バットの芯の場所を考えてみてください。

バットの芯は、バットの中心よりもアウトコース寄りにあります。
ですから、アウトコースを芯に当てるのはインコースを芯に当てるよりも簡単なのです。

実際の打つポイントはインコースの方がアウトコースよりも前にならなくてはいけません。

「ポイントを前にする」ということは「先に始動しないと詰まってしまう」ということです。

「インコースは先に準備しなければ打てない」ので「インコース寄りの甘いボールを狙う」ようにお伝えしているのです。

それでも納得いかない方は「プロ野球選手のホームラン集」を見てみましょう。

驚くほど「甘い球」「甘いコース」をホームランにしていることがわかると思います。

プロ野球の投手でも「坂本勇人選手、柳田悠岐選手に甘いボールを投げてしまう」という現実があるのです。

そして、彼ら一流打者のすごさは「甘いボールを逃さない」というところにあります。

図11　アウトコースのポイントのイメージ

図12　インコースのポイントのイメージ

③ホームランを狙えるスイングを身に付ける

続いて、構えからスイングをする流れを見ていきましょう。

・足を上げる時の下半身

宮川理論では、基本的には「足を上げる」ことをおすすめしています。

王選手、イチロー選手、柳田選手、坂本選手など、一流のバッターは足を上げる選手が多いからです。

また、動作の観点から言うと「回転がしやすい」からです。

足をなかなか上げにくい選手がまず注意すべきことは「スタンスを広げすぎないこと」です。

足幅が広すぎると、足を上げにくいはずです。
最初は両足をくっつけるぐらいでもいいでしょう。
少しずつ足幅を広げてみて「しっくりくる」場所を探してみてください。

他にも「前足の足の裏がホームベースの上に重なるように足を上げる」など工夫するポイントはあります。

ですが、一番良いのは

「自分がリラックスして足を上げられる上げ方」

です。「これが絶対」というものはないので、いろいろと試してみましょう。

また、足を上げてから下ろすまでの一番の注意点は

「上半身が、捕手側に入りすぎないようにする」

ことです。

インコースが見えにくくなり、身体の開きが早くなりすぎてしまいます。

図13　上半身が捕手側に入りすぎている

また、いわゆる「割れ」を作ろうとする必要はありません。

特に肩甲骨周りの柔軟性が低いと「割れ」を作ろうとすれば
するほど、上半身が捕手側に入りやすくなる傾向があるので
注意が必要です。

「『割れ』は勝手にできるもの」くらいの意識を持ちましょう。

・足を上げる時の上半身

先ほど「足を上げた時は上半身が捕手側に入りすぎないよう
に」と書きました。

ですが、宮川理論ではバットのヘッドはしっかりと投手方向
に入れることを推奨しています。

これは、スイングでグリップからバットを出していく時、ヘ
ッドがある程度投手方向に向いているところから動き出すほ
うがスムーズにいくからです。

これは、実際にやってみるとよくわかると思います。ヘッド
がよりスムーズに入るように「左肩を下げる」「右肩を上げ
る」(右打者の場合) など、自分でいろいろ試してみてくだ
さい。

図14　ヘッドが「入った」状態

・足を下ろす、回転する

さあ、大事な局面です。

足を下ろしていく時の意識としては

「腰を投手方向に傾けていき、足の裏全面で着地・回転」

です。この時によくやってしまうのが

「身体が前に突っ込んでしまう」

ことです。

そもそも宮川理論では「身体が突っ込む」ことを

「足が着地した時に、頭が腰よりも前に出てしまうこと」

と考えています。

図15　体が突っ込んでいる状態（左）と突っ込んでいない状態（右）

構えてから打っていく時に「身体全体が前に行く」のは問題
ありません。むしろ「並進運動」の力が使えますから並進し
なさいと伝えています。

イチロー選手のイメージと言えばわかりやすいでしょうか。
（並進運動ができているか確かめたい場合は、スイングの際に、
イチロー選手のように後ろ足を引きずり、その引きずった足
跡が真っ直ぐになっているかどうかを見てみましょう）

図16　並進がしっかりとできている時の足跡

そして着地、この時は足の裏全面で着地します。

先につま先だけで着地しようとするとせっかく足を上げてた
めた力がなくなってしまいますから、あまりおすすめしませ
ん。

そのあとは、回転です。

前足のかかとを軸にして回転するイメージを持つとスムーズ
に行くはずです。

図17　全面着地(左)からの前足かかと軸回転(右)

④タイミングの取り方で意識することはひとつだけ

前項でスイングの一連の流れを説明しましたが、多くの選手が悩むポイントは

「どうやって、タイミングを取るか」

です。

タイミングはどう取れば良いのでしょうか。

宮川理論でお伝えしていることはたったひとつ。

「着地とインパクトを合わせなさい」

これだけです。

「インパクトでドン（着地）」

とも言います。

・ボールが来る
・足を下ろして打ちに行く
・インパクト（バットとボールが当たる）時に足を着地

これをお伝えすると、

「これだと『割れ』ができないんじゃないですか？」

と質問されます。

ですが、動画などで見てみると不思議なことに、ちゃんとできています。
イメージと実際の動きの差なのでしょうか。

この章の③項でも述べたように、「割れ」を作ることは目的ではありません。
「ボールが来たら腕はキャッチャー方向に引っ張り、左足はピッチャー方向に…」
と考えてできる選手は良いのですが、このような選手は経験上ほぼいません。

「インパクトでドン」

このひとつだけを考えておくと、タイミングが狂うということが基本なくなります。また、修正が簡単になります。
だまされたと思ってぜひやってみてください。
試合の打席ではあれこれを考えることはできません。できるかぎりシンプルな思考で試合に臨みましょう。

初めのうちはつぶやきながら「インパクトでドン」の「ドン」でバットとボールが当たるイメージで練習してみましょう。

一連の流れをおさらいすると

・足を上げる
・（必要であれば）並進する
・インパクトと同時に、足の裏全面で着地する
・前足のかかとを軸に回転する

です。

この一連の流れはあくまで練習で意識するものです。
試合では身体が勝手に動くように練習していきましょう。
また、フォロースルーもこの練習の意識と、Ｌ字逆手などの
ドリルを実践した結果で生まれるものなので、フォロースルー
をどのようにとるかをあえて意識する必要はありません。

⑤空振り三振も見逃し三振も一緒

さて、ここまでは「打席に入ってから打つまで」の一連の流
れを書いてきました。

打てなくて悩んだ時は「どの段階で不具合が起きているのか」
を考えて修正してみましょう。

調子がおかしくなった時は

「着地のタイミングがずれている」

ことが大半です。まずはそこを見直してください。

そして試合では１打席１打席しっかり気持ちを切り替えましょう。

試合では「結果を出すために必要なことのみ」やるべきです。

反省は家に帰ってからにしましょう。

試合中は結果も都合の良いように考えるのです。
三振したら「相手投手が素晴らしかった」で良いのです。

「見逃し三振」も「空振り三振」も同じ三振です。
なぜか「空振り三振は良くて、見逃し三振はダメだ」というような風潮がありますが、三振に良いも悪いもないのです。
「人生で見逃し三振はするなよ」という格言がありますが、あれは人生の話です。

三振は三振です。試合中はそれぐらい図々しくいきましょう。

これが、

「結果を出すための心構え」

なのです。もちろん、顔に出してると監督に怒られてしまいます。そこは上手くやってください。

その代わり、試合が終わった後はシビアに反省しましょう。

「自分が何を考えて打席に立っていたのか」
「なぜ、ボール球に手を出してしまったのか」
「どの球を打つべきだったのか」

考えることはたくさんあるはずです。

反省を続けることで、自分の調子が良い時と悪い時の特徴が
わかってくるはずです。この特徴がわかれば、どんどん良い
選手になっていくのです。

反省の時間こそ、大切にするべきです。

私が宮川理論をオススメする理由④

宮川理論との出会いは、SNSで発見した動画がきっかけでした。当時の指導方法ではあり得ないゴルフスイングや長年野球界に根付いた軸足の概念を無視したドリルなど、特に『誰でもホームランが打てる』というフレーズは体格に恵まれない子供達が多いチームを指導する私にとってすごく魅力を感じるフレーズでした。その後、指導員講習を受講しチームの指導方法を宮川理論に切り替えたのが2016年春でした。情報社会の昨今、様々な理論指導方法が存在しますが、根拠の無い指導は感性の指導、バッティングは物理です。地球上に住む万人共通の理論が物理です。打球が飛ぶ方法を学ぶ。学びを身体に取り入れるために練習する。その後、その小さな身体のチームは県大会で準優勝するまでの強豪チームとなり、中学生・高校生となった現在、あちこちから本塁打情報が届いております。私は少年野球の監督業退任後、学びと練習をとことん行える野球道場、室内野球練習場、その名も『夢道場』を開業し、夢に向かう少年達のサポートをさせていただき、ホームランの吉報を日々待っております。

誰でもホームランが打てる！

宮川理論奈良南支部指導員
夢道場ワールドベースボールアカデミー

代表者　足立　重樹

第6章

質問集

①質問の仕方を知っておこう

さて、ここからは皆さんからいただく質問の中で特に多いものを紹介していきたいと思います。

メール、ＬＩＮＥ、ＳＮＳのコメント・メッセージで、本当にたくさんの方からご質問をいただきます。

基本的に有料で指導している選手への対応が優先になりますので、その他の選手からの質問は答えられる範囲での返信となります。ご了承ください。

さて、いただく質問の内容についてです。
多くの質問の場合、何の前触れもなく、このようなメッセージが送られてきます。

「全然打てません」
「どういうスイングをすればいいですか？」
「宮川理論を学ぶとゴロが打てなくなるのですか？」

これらのメッセージを読んで、どう思われましたか？
あなたが質問に答える立場だったら、選手に良いアドバイスができるでしょうか？

例えば「自分が本当にバッティングで悩んでいて、誰かにスイングを見てもらいたい」と思った時、一番初めに伝えなけ

ればならないのは何でしょうか？

そうです。自分の現状です。
病院に行ったら、まずは今自分がどんな状態かを伝えるのと
同じです。

（１）今、自分はどのカテゴリーで野球をしているのか
　　　（中学、高校など）
（２）バッティングの何に悩んでいるのか
（３）どういうバッティングを目指しているのか
（４）宮川理論の内容について疑問があるなら
　　　自分の理解はどのようなものなのか

せめて（１）〜（４）について伝えてくれないと、こちらと
しても答えようがありません。バッティングのアドバイスは
選手によって答え方が大きく変わります。

そして、こう言っては何ですが、これらについて伝えてくれ
ない質問に対してわざわざ答える気になりません。

「質問に答えてもらう」「相手からアドバイスをもらう」とい
うことは
「相手の時間を使う」 ということです。

お金を払って、指導を受けようと思ってくださる方がいる中、
無料で、しかも、相手の立場に立った文章も書けない選手に

どうして何かを伝えたいと思うでしょうか。

正直申し上げて、質問のレベルでその選手のレベルがある程度わかってしまいます。

少し厳しい言い方に聞こえるかもしれませんが、そんなに難しいことではありません。

まずは「質問の仕方」について知っておいてください。

教える方と教わる方で立場が上とか下とかいう話ではなく、自分が相手に何か伝える時に、「これで相手に伝わるかな？」と少しだけ考える習慣を持ちましょう。

野球だけでなく、全てにおいて必要なことです。

② 「ヘッドを立てる、レベルスイングとは何ですか？」

「ヘッドが寝ているとダメ」と言われることがあります。なぜダメなのでしょうか？

よく言われるのは「ボールの勢いに負けてしまうから」です。そもそも「ヘッドが立っている」「ヘッドが寝ている」とはこのような状態を指していると思います。

図18　ヘッドが立っている状態（左）とヘッドが寝ている状態（右）

ですが、本当にヘッドが立った状態で打っている選手は基本的にいません。高めのボールぎみのコースを打つ時ぐらいしかヘッドは立たないと思います。

ですから、「ヘッドが立たなければならない」という考えは捨てましょう。

「ヘッドが立っている」「ヘッドが寝ている」ではなく、

「レベルスイングができているかどうか」

が重要なポイントです。

高め（ボール気味）

真ん中

低め

図19　宮川理論のレベルスイングで高め・真ん中・低めをとらえた状態

「レベルスイング」というと

「バットが地面と並行なスイング」

と言われることがありますが、宮川理論では

「肩からバットの先までが一直線になっているかどうか」

が重要なのです。

宮川理論で「低めはゴルフスイングのように打ちます」とお伝えしているのは、低めのレベルスイングはゴルフスイングのような形になるためです。

加えて、低めに対して「上から叩く」スイングをすると、第３章でお伝えした通りヒッティングゾーンが左足の前のみになり、空振りをする確率がとても高くなります。

高めの球は低めに比べると「地面と平行」に近い形になりますが、実際には高めも真ん中のように少し下からのスイング軌道になることが多いです。

このように「どのコースをスイングするか」によってスイング軌道は変わります。

野球中継の解説でバッティングの話になった時、その解説者が「どこのコースの話をしているのか」を意識してみましょう。

「プロ野球選手や解説者が話す『打ち方のコツ』の話を聞いても上手く打てない」理由の多くは

「どのコースの話をしているのか」

という視点が抜け落ちているからなのです。

③ 「ボールを呼び込むには、どうしたらいいですか？」

よく聞くのは「呼び込め」「引きつけろ」という言葉です。
ですが、その通りに呼び込んで打とうとすると、詰まってしまう。
逆に詰まるのが嫌で、前で打とうとすると変化球に泳がされてしまう。
この悪循環に陥っている選手が、非常に多いです。

なぜ、この現象が起こるかというと、「バットが上から出る」からです。
「バットが上から出る」スイング軌道だと内角の球は前で打たなければ詰まってしまいます。

なので、ボールを呼び込めるようになるためには、

「呼び込むためのスイング軌道」を身に付ける必要があります。

第３章①の図３ヒッティングゾーンのどこで当たっても芯に当たるスイングを参考にしてください。

④「構えで右脇は空けてもいいですか？」

自分が構えやすいのであれば、右脇（右バッターの場合）は空けてもかまいません。
ただその時「必要以上に肩が上がって、肩に力が入っていないように」注意してください。

⑤「弾道を上げる練習はありますか？」

「置きティー（スタンドティー）」で遠くに打つ練習をしましょう。
弾道が上がらない原因は
・バットの下とボールの上が当たっている
・極端なダウンスイングになっている
の２つが多いので、そこを見直しましょう。
何よりもまず弾道が上がるスイング軌道を身に付けることが必要です。
おそらく「逆手」が上手くできないはずなので、第４章③の「逆手」を練習してみましょう。

⑥「バットは長く持ってもいいですか？」

バットは長く持ちましょう。バットは道具です。
長く持ってそれをどう扱うかを練習するのはとても大切です。
短いバットに変えた時に扱いやすくなっていることに気づく
でしょう。
L字逆手は長いほうきで練習するのもおすすめです。
第4章①を参考にしてください。

⑦「流し打ちの練習はした方がいいですか？」

まずは「なぜ流し打ちの練習をするのか」というところから
考えてみましょう。

よく言われるのは、「身体が開かないように」するためですね。

これはある意味では正しいと思います。ただし「身体が開く
から打てなくなる」わけではありません。
三冠王を3度獲得した落合博満氏も現役時代のフォームは、
身体を開いて打っているように見えます。
だとすると、どうして「身体が開くと打てなくなる」と言わ
れてしまうのでしょうか。

それは「身体が開く」に加えて「グリップが遅れてしまう」
からです。

図20　グリップが遅れている状態(左)と前に出ている状態(右)

「グリップが遅れてしまう」ことで、いわゆる「バットが出てこない」状態となり、逆方向のファールや弱い打球になってしまうのです。

あなたが「身体が開くから流し打ちの練習をしている」という場合は「スイングの際、身体が開いてグリップが遅れていないか」をチェックしてみましょう。
もしグリップが遅れていたら、そこを修正するだけで打球は変わります。
「L字逆手」の練習は「グリップが遅れないようにする」練習としてもとても有効ですので、試してみてください。

清原和博氏も話していましたが、逆方向の長打は「狙って打つ」よりも「引っ張ろうとしたらたまたま打ってしまった」という場合が多いです。

流し打ちをたくさん練習すると「無意識に投手側の腰の回転を止めるような動き」になってしまう選手が多く、インコースが詰まりやすくなります。

「グリップの遅れ」を修正することができれば、流し打ちは、「自分が思っている所に打球を飛ばすための練習」という意識で行うくらいで大丈夫です。

⑧「右バッターは、右手と左手、どちらに力を入れますか？」

基本は左手です。右手で強く握ると「手首のコネ」「バットが外から出てくる軌道」になりがちです。
「力を抜く」よりも「力を入れる」と考える方が意識がしやすいはずですから、「右手の力を抜く」というよりも「左手でしっかり握る」と考えましょう。

⑨「グリップの握り方の基本を教えてください」

グリップの握り方は人それぞれですが、右バッターの場合「左手の小指、薬指、中指」の３本でしっかり握り、その３本でバットを操作しましょう。右手は邪魔しない程度に握りましょう。
詳しくはこちらの動画をご覧ください。

グリップの握り方
https//youtu.be/6whxRbaaHag

⑩「マメができてもいいですか？」

後ろの手（右バッターの場合、右手）にマメができる選手は
要注意です。

日本の野球界は「がんばった感」が大好きです。
テレビを見ていても「毎日1000回の素振り」「手が血だらけ
になって」などと、マメが破れて血だらけになった手が努力
の結晶のように放送されています。
ですが、マメが多いほど、ヒットが打てるわけではありませ
ん。
少し冷静になって考えてみましょう。

マメができるのは、結局は手のひらに負担がかかっているか
らです。
バットを握っている以上、手のひらにマメが多少できるのは
仕方がありません。

グリップを引く動作では、手のひら側にはほぼ負担がかから
ないから、マメができることはほとんどありません。
しかし、バットは永遠に運動を続けるわけではないので、ど

こかでブレーキをかけてヘッドスピードを減速していかなければいけません。

その減速のために手のひらに負担がかかりマメができます。スイングスピードを上げるためにマメはできませんが、スピードを下げるためにマメができるのです。右バッターの場合、左手の手首近くのグリップが当たるところにマメができるのです。

マメができることが悪いのではなく「マメがどこにできているか」が大事なのです。

マメの場所によって今の自分のスイングのチェックができます。

右バッターであれば、左手に力を入れてスイングします。左手でブレーキをかけることになりますから、左手の手首近くにマメができるのは問題ありません。

図21　マメができる位置

⑪「『押し込み』は必要ですか?」

「押し込む意識」は必要ありません。

特に、手首を早くコネてしまう選手は押し込む意識は捨てましょう。

バッティング練習の時に当たった瞬間に「押し込む」感覚を持てたことがありますか?
もし、そうだとしたら、バットの「芯」でも「真ん中の方の芯」で打っている確率が高いです。

低めのボールに身体が突っ込みながら拾って打った時を思い出してみてください。

「打った感触がないのにものすごく飛んだ」

これがいいバッティングの時の感覚です。

いつもここの芯で打てる練習をしましょう。

⑫「構えは大切ですか?自由なスタイルでいいですか?」

MLB(アメリカのメジャーリーグ)とNPB(日本のプロ野球)を見ていると「構えの違い」に気づくことがあります。

しかし、構えからスイングに入った時の「『トップ』から『インパクト』の場面」では両者に大きな違いがありません。
構えが全く同じ選手は野球界にほぼいませんから、
「『構え』は自由。そして『トップからインパクトまで』は理想の動きがある」と言えます。

なぜ、ＭＬＢ選手がバットを寝かせて担ぐみたいな構えをしているかというと、パワーに自信があるため、並進運動（体重移動）をあまり使わずボールをギリギリまで引きつけ「最小限の動きで打ちたい」という考えの選手が多いからだと考えます。
ＭＬＢの選手はＮＰＢの選手よりもボールがより自分の方に近くなってから、足を上げるなどのタイミングを取り始める選手が多いです。
これはＭＬＢでは後ろのモーション（テイクバック）が小さい投手が多く、タイミングが取りづらいことも関係しているかもしれません。

宮川理論では、足を上げ多少なりとも並進運動をして打つことを推奨しています。
イチロー選手をイメージするとわかりやすいでしょう。
第５章③の図16を参考にしてください。

⑬「並進運動（体重移動）をすると目線がブレません か？」

ズバリ、目線はブレます。

これは、YouTubeにあるプロ野球選手のスイングのスロー動画などを確認していただければわかりますが、「上げた足が着地してから、スイングが終わるまで」は目線があまり動かない選手はいますが、構えてから打つまで、目線の高さが全く変わらない選手はいません。

また、これと同じようなご質問で
「並進運動をすると、身体が投手方向に向かっていく分、球が速く感じてしまうのではないか」
というものがあります。

もちろん体感的におっしゃることは理解できますが、並進運動を全くせずに、打っている打者はいません。もし、全く並進せず身体を全て後ろに残してスイングをすれば、必ずバットの芯が早い段階で身体から離れていわゆる「ドアスイング」となります。

一度目線を全くブラさず、並進運動もせずにスイングしてみてください。スイングの窮屈さ、振りにくさに気づくと思います。

また、「体重移動」で失敗している打者は身体ではなく、頭

が前に突っ込んでいますから、ここもチェックしてください。
右バッターであれば、一塁ベンチ側（正対する）から見て左
の腰よりも頭が前に出たら突っ込んでいます。

並進運動は少しだけでも必要、ただし、前に突っ込んではい
けない。
これがこの質問に対する答えになります。

⑭「内野フライばかりです。どうしたら外野に飛び
   ますか？」

打つポイントが前すぎる可能性が高いです。この本で正しい
スイング軌道を身に付けた後、もう少し呼び込んで打つ意識
を持ちましょう。

⑮「バットにボールが当たりません。どんな練習が
   効果的ですか？」

まずは、止まっているボール（スタンドティー）を打つ練習
から始めましょう。
そこでバットとボールがどこに当たっているかを確認しまし
ょう。

止まっているボールをスイングすることで、自分がボールを
打ちに行く時に、無意識にどこを狙いがちなのかがわかりま
す。

例えば、スタンドティーでボールが下にばかり行く場合、無意識の内にバットの下とボールの上を当てようとスイングしていることがわかります。

そうした場合、「もう少しボールの下を狙ってみよう」とスイングしてみるのです。

このようにして、バットとボールの関係が理解できたら次は実際に前から来る球を打つのですが、この時、自分が打ってる様子を動画で撮影してみましょう。

そして空振りをした時、ボールがどのようにバットの空を切ったのかを見てみると
「バットとボールの実際のズレ」がわかります。

この「ズレ」がわかれば、「もうちょっと上を振ってみよう」などと具体的な作戦が立てられます。このように「バットとボールが当たらない」理由をひとつひとつ考えていきましょう。

おわりに

ここまでお読みいただきありがとうございました。

少しでも「打てそう！」という気持ちになりましたか？
まずはこの「打てそう！」という感覚を持つことが大事です。

宮川理論は

「バッティング・野球を通して、選手の笑顔が増え、人生が良くなること」

を大切に活動しています。

やっぱりホームランを打つとうれしいじゃないですか。
昭和から平成、そして令和にかけて、時代とともに野球界も変わっていかなければなりません。

もちろん、厳しい指導が必要な時もあるでしょう。
野球には教育、という側面もありますから。
しかし、「何のための厳しさなのか」
これが曖昧なことがあまりにも多い気がします。
なぜ、雨で練習が中止になったら選手は喜んでいるのか。
私たち指導者は真剣に考えないといけません。

まずは、野球を好きになってもらうこと。

バッティングを好きになってもらうこと。
指導者の一番大事な役割だと思います。

ところで皆さん「宮川理論」という言葉を初めて聞いた時
「なんだか怪しい」と思われませんでしたか？
無理はありません。なんせ「宮川」「理論」ですからね（笑）。

私がこれまで選手に教えたり伝えたりしてきたことを、
「もっとたくさんの人に伝えよう」
と思った時に、当時流行っていた「○○理論」という言い方
と自分の名字を組み合わせて発信をスタートさせました。

まさかここまで広がるとは思わず、今となっては「もっと違
う名前にしておけばよかったなあ」とも思います。

それでもこれまで10年以上にわたって海外も含めたくさんの
方に学んでいただくことができたのは、それなりの理由があ
るのだと思います。
少しでもこのような選手を増やしていけるように宮川理論は
これからも活動していきます。

最後までお読みいただきありがとうございました。
この本を読んだあなたがホームランを打つことを楽しみにし
ております。

                    宮川理論創始者　宮川　昭正

編集者あとがき

私は高校野球ではベンチに入ることすらできませんでした。

「ギリギリ入るかも」などとメンバー発表の時にドキドキすることもない位置にいました。

同級生には特待生など、スカウトされて入部している選手が大勢おり「強豪校」と呼ばれる高校でしたが、
私自身は一般入試で入学し、野球部に入部しました。
同級生は50人ほどいたので
私が試合に出られるようになるのは、相当のアピールが必要でした。

３年間で１度だけ
練習試合でＡチームに入りましたが、
試合前のシートノックで暴投を連発してしまいました。

結局、その練習試合に出ることはなく
その後、名前が呼ばれることはありませんでした。
同級生の中で、その後も野球を続けた者は10名もいません。
卒業後も野球を続けたのは、基本的にはレギュラーとして試合に出場していた選手です。

しかし、私は、なぜか野球を諦めることができませんでした。
今でもその理由ははっきりとは分かりませんが、

とにかく「野球を辞める」という選択肢がなく、
大学でも野球部に入部しました。
大学では、とにかく必死に練習しました。
ことバッティングに関しては、本当にいろいろなことを勉強
し、試しました。

「右手が利き手だから、左打ちにした方がバットを操作しや
すくなるのではないか？」
と、左打ちにしたこともありました。

しかし、膨大な試行錯誤の中で
「自分が、上手くなった！」と心から思うことはありません
でした。

「このまま、野球人生が終わってしまうのか」

そう考えていた大学３年の冬、恩師である大学の監督に
「宮川理論」という打撃理論があると教えていただきました。

最初は、
半信半疑でした。そもそも「〜理論」という言葉からは何か
「それ以外は認めない」ような雰囲気を感じ、好きではなかっ
たからです。

ですが、私たちの大学では４年生の春に最後の大会があり、
それまでにはもう時間がなく、迷っているひまはないこと。

そして何より尊敬する監督からすすめられたということもあり、私はすぐに宮川理論を学ぶことに決めました。
大学のあった大分から宮川先生のいる広島に向かい、指導を受けました。

正直、これまで学んできた野球とは全く違う考え方、
スイングに最初は戸惑いました。
しかし、
話を聞けば聞くほど、
「確かにそうだよな」と納得している自分がいました。

「何でゴロを狙うの？」
「ストライクゾーンちゃんとわかってる？」
「みんな、自分でバッティングを難しくしてるんよ」

押し付けるような感じではなく、
野球とは全く関係ない話も織り交ぜながら
気づいたら宮川先生は私のこれまでの野球に対する固定観念を見事にひっくり返していました。
しかし、「確かにそうだよな」「固定観念をひっくり返す」
だけでは意味がありません。

実際に私が上手くなるのか、バッティングが変わるのか。

「今よりも打てるようになるのか」

それが重要でした。

迎えた
指導の翌日のフリーバッティング。

見たことのない打球がポンポン飛んで行きました。

いつも詰まらされていた左投手のインコースのボールが
芯に当たりライトに飛んで行きました。
今でもその打球の光景を覚えています。

打ち終わり守備につくと
チームメイトにびっくりされました。
私は、「バッティングが劇的に変わった」と初めて自分自身
で実感しました。
その後、練習を重ね
最後の春のリーグ戦にはＤＨとして出場できました。

引退してからは、
後輩から宮川理論を教えてくださいと言われました。
この「後輩に教えてくださいと言ってもらえたこと」こそが
私のバッティングが劇的に良くなったという何よりの証拠か
もしれません。

もちろん、宮川理論を学んだから全てが100％上手くいく、
ということではありません。

「どうすれば打てるようになるのか」というのは
自分自身で考え続けなければなりません。
ですが、私は心から、宮川理論を学んで良かったと思っています。
もしも学んでいなければ、と考えると恐ろしいぐらいです。
あの時、一歩を踏み出して良かった。

だから、あの時の私のように
宮川理論がバッティングに悩む全ての人の一筋の光となるように、あらゆる方法で
宮川理論本部代表として発信し続けます。
もし、この本を読んでピンときたら
ぜひ実際に学んでみてください。

大学3年の冬、絶望の中で
希望を与えてくれた宮川先生のように
ひとりひとりの野球人生に
少しでもいい影響を与えられる存在になれるよう
全力で指導します。

宮川理論本部代表　渋谷支部指導員　山田　智大

著 者　宮川 昭正

1968年生まれ、広島県出身、県立広島工業高校－明治大。高校時代は
２年夏、３年春夏に甲子園出場、３年春はベスト８に進出。大学卒業
後、広島工業監督として1992年夏の甲子園ベスト８、1995年春の選抜
で２回戦に進出。2008年より、「宮川理論」の発信を開始。これまで
に述べ180名の指導員を育成し、幼稚園児〜プロ野球選手まで幅広い
年代の選手育成に関わる。現在はベースボールアドバイザーとして
チーム、個人に対する野球指導や野球全般のコンサルティングを行う。
広島工業時代の教え子には、新井貴浩さん（元・広島東洋カープほか）
がいる。

編集者　山田 智大

1994年生まれ、大阪府出身、東海大大阪仰星高校－大分大学。大学時
代に「宮川理論」と出会い、バッティング技術が飛躍的に向上。最後
のリーグ戦はDHとして出場。引退後、自身の経験をバッティングに
悩む選手に伝えたいという思いから、宮川理論公認指導員となる。
2019年から本部代表に就任。大学時代の打撃変化をまとめた動画は
YouTubeで28万回再生を突破。

宮川理論　〜ホームランを、全ての人に〜

2021年10月8日　初版発行

著　者　宮川昭正　@Akimasa Miyagawa 2021
編　集　山田智大
発行人　樫野孝人
発行所　CAPエンタテインメント
　　　　〒654-0113 神戸市須磨区緑ヶ丘1-8-21
　　　　TEL 050-3188-1770
　　　　http://www.kashino.net

印刷・製本／神戸新聞総合印刷

ISBN978-4-910274-03-4　Printed In JAPAN